À MARGOT ET LILI

ISBN 978-2-211-22428-4

Loi numéro 49 956 du 16 juillet 1949 sur les publications
destinées à la jeunesse : novembre 2014
Dépôt légal : novembre 2015
Imprimé en France par Pollina - L72863

Édition spéciale non commercialisée en librairie

SOLEDAD BRAVI

CHOISIS UN ANIMAL

loulou & Cie
l'école des loisirs
11, rue de Sèvres, Paris 6e

Choisis
un
animal

Ça y est ?

non
attends...

ça y est !

est-ce qu'il est grand?

3
non!

est-ce qu'il est petit ?

non

il est moyen alors !

oui

est-ce qu'il a des plumes?

non

est-ce qu'il nage ?

non

est-ce qu'il
a des poils ?

oui

est-ce qu'il habite en Afrique ?

non

est-ce qu'il habite à la campagne ?

non

Est-ce qu'il habite dans la forêt ?

non

...alors...
pas une huppe ...
elle a des plumes

pas un ours
trop grand

est-ce qu'il
habite
en ville ?

oui

est-ce qu'il aime les bonbons ?

oui, bien sûr

c'est toi !

oui
t'es pas un rapide

À moi !

oh non !
on change !
viens !

on va jouer
à la
marchande

à la poupée
au papa et
à la maman...